Que la vie est belle !

en ville !

premières lectures

...pour les enfants qui apprennent à lire

Le texte à lire dans les bulles est conçu pour l'apprenti lecteur. Il respecte les apprentissages du programme de CP :

 le niveau TRES FACILE correspond aux acquis de septembre à décembre,

 le niveau FACILE correspond aux acquis de janvier à juin.

Cette histoire a été testée à deux voix par Francine Euli, enseignante, et des enfants de CP.

Cet ouvrage est un niveau Facile.

© Éditions Nathan (Paris, France), 2012
Loi n° 49-956 du 16 juillet 1949 sur les publications destinées à la jeunesse
ISBN : 978-2-09-253789-3
N° éditeur : 10181355 – Dépôt légal : janvier 2012
Imprimé en France par Pollina - L59061

Que la vie est belle
en ville !

TEXTE DE RENÉ GOUICHOUX
ILLUSTRÉ PAR MYLÈNE RIGAUDIE

Dans la savane,
Kouma et Toriki n'ont rien à faire.

Oh là là, comme je m'ennuie !

Et moi donc !

Soudain, un énorme oiseau
traverse le ciel.

Perché sur une branche, Marabout,
l'oiseau sorcier, explique :
— Ce n'est pas un oiseau, c'est un avion.
Il va à la grande ville.

À la grande
ville ?
Moi aussi
je veux
y aller !

Et moi donc !

Marabout prononce une formule magique. Et hop!

Aaaaaaaah!

Voici que le sol tremble sous les pattes des deux amis.

Kouma et Toriki sont pris dans
un tourbillon, un énorme tourbillon.
En un clin d'œil, ils se retrouvent...
dans un grand bac à sable.

Tout autour d'eux, de grands
bâtiments s'élancent vers le ciel.

Toriki et Kouma regardent vers le haut
des immeubles quand tout à coup…

Vroum vroum, le tas de sable démarre!

Oooooooooh!

C'est un camion qui les emporte
à toute vitesse.

Kouma et Toriki se penchent sur
le bord du camion. Des voitures filent
de chaque côté de la rue : des petites,
des moyennes, des grandes, des bleues,
des jaunes, des grises, des rouges.
Toriki et Kouma sont émerveillés.

Maintenant, le camion ralentit
et stoppe, arrêté par une
lumière rouge.

Hop !
Viens, Kouma !

Toriki et Kouma sautent du véhicule.
Sur le trottoir, les gens sont étonnés
de croiser des animaux sauvages.

Toriki et Kouma traversent la rue.
Mais voilà que le feu repasse au vert.
Les voitures redémarrent.
Le lièvre et la girafe sont paralysés
sur le passage pour piétons.
On entend un concert de klaxons.

Puis un grand coup de sifflet retentit.

C'est un policier. Il s'approche
de Kouma et Toriki, qui sont effrayés.

Restez où vous êtes!

Apeurés, Kouma et Toriki se sauvent.

Par ici, on va
se cacher!

Les deux amis se glissent par la porte
ouverte d'une salle de restaurant!
Quand ils voient Kouma et Toriki,
les serveurs laissent échapper
leurs plateaux et les clients hurlent.
C'est la panique générale! Maintenant,
Kouma et Toriki, sont terrorisés.

Vite, ils s'enfuient à nouveau.

Pin-pon ! Pin-pon !

Dans la rue, Toriki et Kouma entendent une sirène : c'est un camion de pompiers qui se dirige droit vers eux.

Regarde, des arbres
comme dans la savane.
Entrons!
Nous serons à l'abri.

Dans le parc, Toriki aperçoit quelque chose d'incroyable! Sur un panneau, des animaux de la savane sont dessinés.

On est chez nous!

La grille du zoo est ouverte. Le lièvre
et la girafe se faufilent tandis que
la nuit commence à tomber.

Oh, un lion,
des singes…

Et là,
un hippopotame !

En se rapprochant, ils découvrent
que les animaux sont prisonniers
dans des cages. Ils sont dans un zoo!
Kouma s'adresse aux animaux.

Nous allons
vous libérer!

Où sont
les clés?

Mais soudain une énorme lampe
électrique les aveugle.

C'est le gardien du parc, accompagné
de pompiers et de policiers.

– Ils sont là !

Pas une seconde à perdre !

Toriki et Kouma n'ont qu'une solution :

Au secours
Marabout !

Et hop, Marabout, l'oiseau sorcier,
apparaît. Il prononce alors :

Toriki et Kouma sont
emportés dans un grand souffle.
Quelques instants plus tard, nos deux
amis sont de retour dans la savane.

27

Marabout demande :

— Alors, les amis, comment était
cette balade en ville ?

La ville,
ce n'est pas pour
nous, mais on doit y
retourner…

Toriki montre les clés du zoo.
Dans la panique, il les a dérobées
avant de s'enfuir.

Eh oui, on a
des amis à aller
chercher !

Nathan présente les applications Iphone et Ipad tirées de la collection *premières* **lectures**.

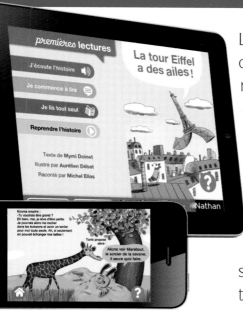

L'utilisation de l'Iphone ou de la tablette permettra au jeune lecteur de s'approprier différemment les histoires, de manière ludique.

Grâce à l'interactivité et au son, il peut s'entraîner à lire, soit en écoutant l'histoire, soit en la lisant à son tour et à son rythme.

Avec les applications *premières* **lectures**, votre enfant aura encore plus envie de lire… des livres !

Toutes les applications *premières* **lectures** sont disponibles sur l'App Store :

À la rentrée de septembre, les enfants de CP entrent doucement en lecture. Afin de les accompagner dans cette découverte et d'encourager leur plaisir de lire, Nathan Jeunesse propose la collection **Premières lectures**.

Chaque histoire est écrite avec des **bulles**, très simples, et des **textes**, plus complexes, dont les sons et les mots restent toujours adaptés aux compétences des élèves dès le CP.

Les ouvrages de la collection sont tous **testés** par des enseignants et proposent deux niveaux de difficulté : **Très Facile** et **Facile**.

Cette collection est idéale pour la mise en place d'une **pédagogie différenciée**, mais aussi pour une **lecture à deux voix**. Elle permet en effet de mêler la voix d'un «lecteur complice», que la lecture des textes rend narrateur, à celle d'un enfant qui se glisse, en lisant les bulles, dans la peau du personnage.

Un moment privilégié à partager en classe ou en famille !

Et après
les **Premières lectures**,
découvrez vite
les **Premiers romans !**